PÁDRAIG MAC PIARAIS
agus Éire lena linn

PÁDRAIG MAC PIARAIS
agus Éire lena linn

SÉAMAS Ó BUACHALLA

CLÓ MERCIER
Baile Átha Cliath agus Corcaigh

Tíolacaim an leabhar seo d'Éamonn de Barra agus Cumann na bPiarsach a dhein an oiread san le cuimhne na bPiarsach a bhuanú.

CLÓ MERCIER TEORANTA
25 Sráid na Mainistreach Íochtarach,
  Baile Átha Cliath 1.
4 Sráid an Droichid, Corcaigh.

Pádraig Mac Piarais agus Éire lena linn
ISBN 85342 570 1
© Séamas Ó Buachalla 1979

Arna clóbhualadh in Éirinn ag
Leinster Leader Ltd.,
Nás na Rí.

An Clár

I	A Mhuintir agus a Óige	7
II	Tionchair	19
III	An Conraitheoir	27
IV	An tOideachasóir	39
V	An Fear Polaitíochta	65
VI	Iarfhocal	83
	Saol an Phiarsaigh	93
	Admháil	94

A Mhuintir agus a Óige

27 Sráid an Phiarsaigh
Is sa teach seo a rugadh an Piarsach ar 10 Samhain 1879. Saor cloiche ab ea a athair, James Pearse, agus bhí clós oibre aige ar láthair an tí. Rugadh an t-athair i Londain sa bhliain 1839 agus tháinig go hÉirinn ar lorg a chéirde agus é in aois a cúig bliana is fiche. Phós sé Emily Fox agus bhí beirt pháiste acu, Mary Emily agus James Vincent. Nuair a fuair a bhean bás in 1876, phós James Pearse B'leá Cliathach de bhunadh na Mí, Margaret Brady. Rugadh ceathrar páiste dóibh, Maighréad, Pádraig, Liam agus Máire Bríd.

Brookville, Raghnallach
Bhí cónaí ar na Piarsaigh, i ndiaidh a chéile, tar éis dóibh lár na cathrach a fhágaint 1884, sa Dumhach Trá, i nDomhnach Broc agus faoin mbliain 1907 bhí cónaí orthu sa teach seo i Raghnallach. Thug an Piarsach an t-ainm "Cúil Crannach" air. Bhí scoil chailíní agus naíonán á reachtáil ansin ag Maighréad agus Iníon Browner go dtí 1909. Ar bhunú Scoil Éanna 1908, d'imigh an chlann chun chónaithe i dTeach Feá Chuilinn ar Bhóthar Oakley.

Tuismitheoirí an Phiarsaigh
Tógadh an grianghraf seo i ngairdín an tí i nDumhnach Trá, de James agus Margaret Pearse sa bhliain 1887. Bhí James ag druidim le caoga bliain d'aois an tráth sin agus gan ach tríocha bliain ag a bhean. Tógadh sraith de phictiúir an lá céanna, de na páistí agus den chlann ar fad agus uathu sin tig linn tomhas a dhéanamh ar dháta dóchúil an ghrianghraif seo. Fuair James Pearse bás sa bhliain 1900 agus fuair máthair an Phiarsaigh bás sa bhliain 1932.

Máthair an Phiarsaigh

Rugadh Maighréad Ní Bhrádaigh, máthair an Phiarsaigh, sa bhliain 1857 i gceantar na Trá Thuaidh i mBaile Átha Cliath. Ba de bhunadh Chontae na Mí dá hathair, Pádraig, agus de mhuintir Sabhaiste ó thuaisceart Átha Cliath a máthair, Bríd. Bhí deartháir amháin aici Uaitéar agus beirt dhriofúir, Bríd agus Caitríona; fuair Uaitéar agus Bríd bás agus iad óg. Bhí Gaeilge ag athair Mhaighréid agus ag a mhuintir nuair a thug siad aghaidh ar chathair Bhaile Átha Cliath aimsir an ghorta mhóir. Bhí aintín amháin aici, Maighréad freisin, nár phós riamh agus ba í seo an sean-aintín, a deir an Piarsach, is mó a chuaigh i bhfeidhm air agus é óg. Nuair a pósadh James Pearse agus Maighréad Ní Bhrádaigh sa bhliain 1877 is ar éigin a bhí fiche blian slánaithe ag an mbrídeog.

Pádraig ar Chapall Adhmaid
Pictiúr é seo a tógadh i stiúideo grianghrafadóra agus Pádraig in aois a cúig nó a sé bliana timpeall na bliana 1885.

(Ar dheis)
Pádraig in aois a seacht
Portráid de Phádraig agus radharc idéalach laistiar de agus é in aois a seacht nó a hocht mbliana. Bhíodh na radharcanna seo coitianta an tráth sin mar chulráid sna grianghrafanna a tógtaí i stiúdeo. Tá iarracht den mháchail súile le tabhairt faoi deara anseo.

Clann an Phiarsaigh

Nuair a tógadh an grianghraf seo bhí naoi nó deich mbliana d'aois ag Maighréad, bhí Pádraig thart ar ocht mbliana d'aois, sé bliana ag Liam agus bhí Máire Bríd trí bliana d'aois. Ón uair a rugadh Máire Bríd, bhí sí leice agus ar feadh a saoil go bhfuair sí bás sa bhliain 1947, bhí drochshláinte ag cur as di. Fearas an-nua-aimseartha ab ea an ceamara sna blianta úd.

Scoil na mBráithre, Sraith an Iarthair

Chuaigh Pádraig agus Liam Mac Piarais ar scoil i dtosach ar scoil phríomháideach a bhí á reachtáil i bPlás Wentworth (Sráid na bhFíníní anois). Sa bhliain 1891 d'aistrigh siad go Scoil na mBráthar, Sraith an Iarthair agus is ann a lean Pádraig go dtí gur chríochnaigh sé an cúrsa sinsearach sa bhliain 1896. Ghnóthaigh sé duaiseanna sna scrúdaithe poiblí agus cé nár thosaigh sé ar an Ghaeilge a fhoghlaim go dtí 1893, ghnóthaigh sé an dara háit in Éirinn sa Grád Sinsearach 1896.

Bhuaigh an buíon scoláirí seo duaiseanna i scrúdaithe an Idirmheánaigh sa bhliain 1893. An tráth sin bhíodh scrúdú á sheasamh ag scoláirí gach aon bhliain den chúrsa idirmheánach. Tugtaí boinn óir is airgid, duaiseanna airgid agus leabhar mar dhuaiseanna do na scoláirí:

(*Ina seasamh ar chúl*) P. Carroll, E. A. Murray, Éamonn O'Neill, T. Murray, J. M. Byrne, E. J. Power, J. A. Duffy, J. Carr.

(*Ina suí i lár baill*) P. Ryan, W. Penny, An Bráthair Walsh, P. Fitzgerald, Pádraig Mac Piarais.

(*Ina suí chun tosaigh*) M. Ryan, M. Keegan, J. Curran.

Scoláirí

Duine de na Bráithre a bhí mar mhúinteoir ag an bPiarsach a b'ea an Bráthair M. J. Maunsell. Sa bhliain 1895, nuair a bhí sé ag imeacht leis go scoil eile sa chathair, bheartaigh na scoláirí ar a meas ar an mBráthair seo a léiriú. B'iad na daltaí seo a bheartaigh na socraithe chun dileagra maisithe a bhronnadh air. Bhí buachaill amháin as gach grád den scoil idirmheánach ar an gcoiste agus ba é an Piarsach ionadaí na scoláirí sinsearacha. Wm. Dwyer, George Quigley agus Patrick Cooper na baill eile.

An Leabharlann Náisiúnta

Chríochnaigh an Piarsach a chúrsa scoile sa bhliain 1896 agus ghnóthaigh sé duais ar leith sa scrúdú sinsearach. Sa dá bhliain go dtí gur thosaigh sé ar a chúrsa ollscoile in 1898, chaitheadh sé cuid mhaith ama sa Leabharlann Náisiúnta ar Shráid Chill Dara agus é ag ullmhú don scrúdú Máithreánach de chuid na hOllscoile Ríoga. Sa tréimhse sin thosaigh sé mar mhúinteoir cúnta i Scoil na mBráithre i Sraith an Iarthair agus bhí sé gnóthach i gcúrsaí na Gaeilge. Bhunaigh sé féin agus Éamonn Ó Néill cumann, The New Ireland Literary Society, sa bhliain 1897 agus bhíodh daoine ar nós Eoin Mhic Néill agus an Athar Peadar agus an Dr. George Sigerson ag tabhairt léachtaí dóibh. D'fhoilsigh an Piarsach an chéad leabhar aige sa bhliain 1898, bailiúchán, dar teideal *Three Lectures on Gaelic Topics*, de na léachtanna a thug sé don chumann.

An Dlíodóir

Nuair a fuair athair an Phiarsaigh bás bhí ar Phádraig cúram an ghnó agus cúram na clainne a thógaint ar féin agus é fós ag gabháil dá chúrsa cinnbhliana san Ollscoil. Ghnóthaigh sé an dá chéim B.A. agus B.L. sa bhliain 1901; ba i gColáiste na Tríonóide a fhreastail sé an cúrsa dlí.

Níor chleacht an Piarsach gairm an dlíodóra ach aon uair amháin; tharla sin sa bhliain 1905 nuair a tógadh Niall Mac Giolla Bhríde os cóir na cúirte toisc go raibh a ainm scríofa as Gaeilge aige ar a thrucall. An Piarsach a rinne cosaint air ach cailleadh an cás. D'fhág an oiliúint intinne a fuair sé mar dhlíodóir a lorg ar stíl scríbhneoireachta an Phiarsaigh agus ar an modh argóna a chleachtadh sé i gcúrsaí iriseoireachta sa *Claidheamh Soluis*.

Tionchair

Tomás Ó Flannghaile

Rugadh Tomás Ó Flannghaile in aimsir an ghorta i mBaile an Róba mar a raibh an Ghaeilge i réim mar theanga labhartha san am. In aois a seacht mbliana dó d'imigh a mhuintir ar deoraíocht go Manchuin mar ar oileadh Tomás mar mhúinteoir scoile. Chaith sé tréimhse fada ag múineadh scoile agus mar léachtóir i gcoláiste oideachais. Bhí sé gníomhach ón tús i gConradh na Gaeilge agus scríobh sé cuid mhaith leabhar i mBéarla agus i nGaeilge. Ceann de na leabhair sin ab ea: *For the Tongue of the Gael* (1896), leabhar a ghnóthaigh an Piarsach mar dhuais i scrúdaithe na bliana sin. D'imir an leabhar tionchar nach beag ar a mheoin mar a léiríonn sé sa léirmheas a scríobh sé faoin dara heagrán sa bhliain 1907.

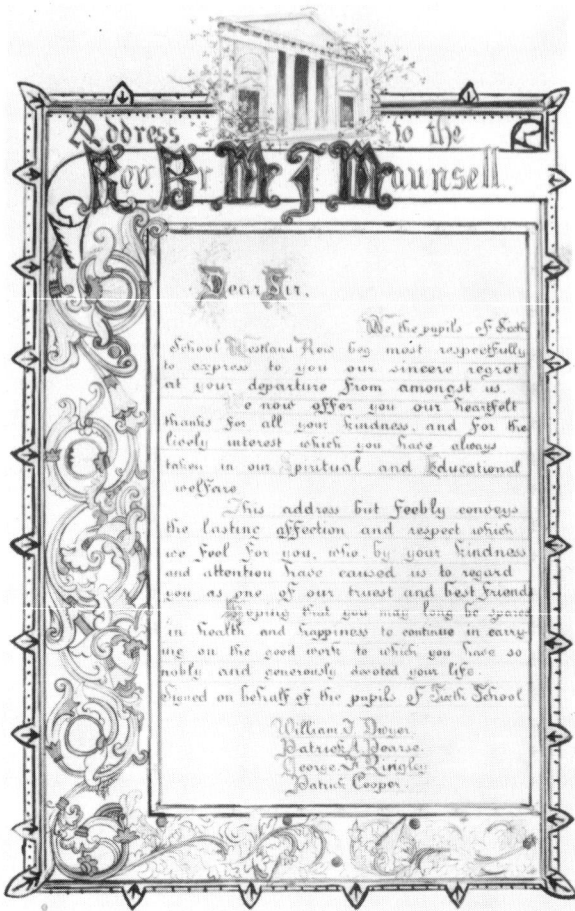

Na Bráithre

Dealraíonn gurb é an Bráthair Justus Maunsell is mó a chuaigh i bhfeidhm ar an bPiarsach agus é ina scoláire i Sraith an Iarthair. Ciarraíoch a b'ea é a raibh an Ghaeilge agus an Fhraincís ar a thoil aige agus ar éirigh leis spéis sa dá theanga san agus sa Bhéarla a chothú imeasc a chuid scoláirí.

Nuair a bhí an Bráthair Maunsell ag imeacht go dtí Scoil Uí Chonaill in 1895 bhronn scoláirí na scoile an dileagra maisithe seo air. Bhí an dileagra sínithe ag ionadaithe na scoile, ar a raibh an Piarsach. Fuair an Bráthair Maunsell bás den eitinn sa bhliain 1902 agus gan ach trí bliana is tríocha slánaithe aige.

[MARCH, 1909.] THE LEPRACAUN.

An "Irish" Championship.
THE OLD LADY—"Oh, John, darlin', ye's were nivir a match for that Gaelic chap, his hide is too thick, he's knocked the puff clane out iv us both."

Dubhglas De hÍde
Mac ministir de chuid Eaglais na hÉireann ab ea Dubhglas de hÍde a rugadh i gCo. Roscomáin sa bhliain 1860. An tráth sin bhí an Ghaeilge fós ag na seandaoine sa dúthaigh agus is uathu sin a d'fhoghlaim sé bunús na teanga. D'fhreastail sé ar Choláiste na Tríonóide mar ar bhain sé na céimeanna B.A. agus LL.D. amach. I dteannta Eoin Mhic Néill, an Athar Eoghain Uí Ghreamhnaigh agus dreama bhig eile bhunaigh sé Conradh na Gaeilge sa bhliain 1893. Bhí sé ina Uachtarán ar an eagras uaidh sin go dtí 1915. Faoi cheannas de hÍde, mheall an Conradh chuige Éireannaigh as gach uile chúlráid le go dtabharfaidís tacaíocht do "dhí-Shacsanú" na tíre. Scríbhneoir, file agus scoláire ab ea de hÍde; "An Craoibhín Aoibhinn" an t-ainm cleite a bhíodh air. Bhí sé ina Ollamh le Nua-Ghaeilge i gColáiste na hOllscoile, Baile Átha Cliath ón mbliain 1909 go dtí gur éirigh sé as sa bhliain 1932. Toghadh é d'aonghuth mar chéad-Uachtarán ar Éirinn sa bhliain 1937. D'éirigh sé as an Uachtaránacht sa bhliain 1945 agus fuair sé bás sa bhliain 1949.

An Dr. G. Sigerson

Fear ildánach ab ea George Sigerson (1836-1925), eolaí, fear leighis agus fear litríochta go raibh máistreacht aige ar chuid mhaith de theangacha na hEorpa; mhúin sé an Ghaeilge dó féin agus é i mbun a chúrsaí ollscoile. Tar éis dó tuilleadh staidéir agus taighde a dhéanamh sa bhFrainc, tháinig sé ar ais go Baile Átha Cliath; bhí clú air mar fhear leighis sa chathair agus sainchlú air mar néareolaí. Scríobh sé faoi fhilíocht agus fhilí na hÉireann; tháinig *The Poets and Poetry of Munster* uaidh in 1860 agus an leabhar a chuaigh i bhfeidhm go mór ar an bPiarsach agus a chomhaimsirigh, *Bards of the Gael and Gall*—foilsíodh é sa bhliain 1897. Bhí sé ina Ollamh le Luibheolaíocht agus Míoleolaíocht i gColáiste na hOllscoile agus chuir sé spéis ar leith i gcúrsaí lúthchleasa i measc mac léinn; b'é a chuir tús leis an gcomórtas idirollscoile sna cluichí Gaelacha don chorn a bhronn sé, Corn Sigerson.

An tAthair Eoghan Ó Gramhnaigh

Rugadh Eoghan Ó Gramhnaigh in aice an Átha Bhuí i gCo. na Mí sa bhliain 1863 agus deineadh sagart de sa bhliain 1889 i Má Nuat. D'fhoghlaim sé an Ghaeilge ó mhic léinn eile sa choláiste, go háirithe ón Athair Seán Maolíosa Ó Rathallaigh as Maigh Eo. Ceapadh mar ollamh le Gaeilge sa choláiste é sa bhliain 1891. Thosaigh sé go gairid ina dhiaidh sin ag scríobh ceachtanna simplí sna páipéir nuachta do lucht foghlamtha na Gaeilge; b'iad seo na leabhráin a d'fhoilsigh sé níos déanaí agus a d'imir tionchar chomh mór sin ar bhaill an Chonartha. Sa bhliain 1893 bhí sé páirteach i mbunú an Chonartha le hEoin Mac Néill agus Dubhglas de hÍde. Theip an tsláinte air agus d'imigh sé go Meiriceá mar a bhfuair sé bás in 1899; tugadh a chorp abhaile sa bhliain 1903; ag an tsocraid i Má Nuat, thug an tAthair Seán *Maolíosa* Ó Rathallaigh seanmóin uaidh— an fear céanna a mhúin an Ghaeilge dó agus iad beirt ina mic léinn sa choláiste.

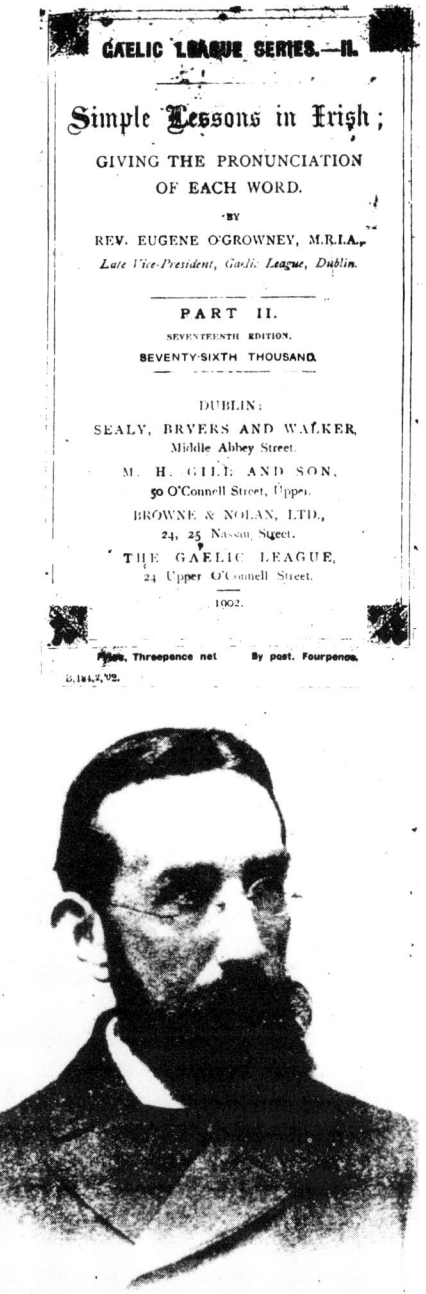

Tone, Emmet, Davis, Mitchel
Bhí aintín lena a mháthair as Contae na Mí a dheineadh seanchas agus comhrá leis an bPiarsach óg i dtaobh laochra na tíre agus go háirithe i dtaobh na nÉireannach Aontaithe agus mar a caitheadh leo i ndúthaigh a muintire. Ina scríbhinní polaitíochta léirigh an Piarsach go raibh tionchar ag Tone, Emmet, an Dáibhíseach agus an Mistéalach ar a thuairimí. Mar Bh'leá Cliathach ghoill sé go mór air nár tháinig muintir na cathrach i gcabhair ar Emmet sa bhliain 1803.

I Meiriceá dó sa bhliain 1914 thug sé léachtaí faoi Emmet agus i samhradh na bliana 1913 b'é a thug an léacht ar Tone ag Baile Bóidín. Foilsíodh na léachtaí seo mar leabhrán—*How Does She Stand?* sa bhliain 1914 díreach agus an Cogadh Mór á fhógairt. Idir Nollaig na bliana 1915 agus an tÉirí Amach, scríobh sé sraith paimfléad, *Ghosts, The Separatist Idea, The Spiritual Nation* agus *The Sovereign People*. Sna leabhráin sin scrúdaigh sé fás na tuairimíochta a léirigh Tone, an Dáibhíseach agus an Mistéalach maidir le neamhspleáchas na tíre. Bhí baint stairiúil nach beag ag Emmet leis an teach agus leis na tailte i Ráth Fearnáin ar a raibh Scoil Éanna suite.

An Conraitheoir

24 Sráid Uí Chonaill

Is anseo ag barr Shráid Uí Chonaill, ar thaobh na láimhe deise ag féachaint i dtreo deilbh Pharnell, a bhíodh ceannáras an Chonartha ag deireadh na haoise seo caite. Roimhe sin bhíodh oifig agus seomraí léachtaí ag an gConradh ar Shráid an Dáma, cé gur i 9 Sráid Uí Chonaill Íochtarach a bunaíodh an t-eagras ar 31 Iúil 1893.

Ag 24 Sráid Uí Chonaill a bhíodh oifig eagarthóireachta *An Claidheamh Soluis* ó bunaíodh an páipéar dátheangach sa bhliain 1899 agus Eoin Mac Néill mar eagarthóir air. San oifig seo a ghníomhaigh an Piarsach mar fhear eagair ar an bpáipéar ó 1903 go dtí 1909 agus mar rúnaí ar Choiste Foilsiúcháin an Chonartha.

Duilleacán d'Irisleabar na Gaedilge, mí an chéad Oireachtais, Bealtaine, 1897.

Donnchadh O Loingsigh. Seoṡaṁ Laoide.
Tadg O Donncúda. Risteard Macgabháin. Uilliam O Brain. Eoin MacNéill. Séamus O Cataṡaiġ.

Pádraig Mac Catṁaoil. Seagán O h-Ógáin. Risteard O Maolbhreannáin. Steapán Bairéad. Domhnall O Concubair.

Fuireann Gnóta Connartha na Gaedilge.

Coiste Riartha an Chonartha 1897

Is é seo an chéad phictiúr atá ar fáil de lucht riartha an Chonartha; foilsíodh é ar eagrán speisialta de *Irisleabhar na Gaeilge* le linn an chéad Oireachtais i mí na Bealtaine 1897.

As an mbuíon seo, bhí Eoin Mac Néill agus Seosamh Laoide páirteach i mbunú an Chonartha, bhí baint ag Tadhg Ó Donnchadha ("Torna") agus Stiofán Bairéad agus ag an Laoideach le hobair riartha agus eagarthóireachta san ardoifig. Tuairisceoir sa *Freeman's Journal* ab ea Ó Maolbhraonáin, fear a chuaigh isteach mar mhac léinn i gColáiste na Tríonóide agus é meánaosta; bhíodh ranganna á reachtáil aige sa Ghaeilge ann agus d'fhág sé airgead le huacht ag an gColáiste ar mhaithe le múineadh na Gaeilge.

An Craoibhín ag Labhairt ag Mórshiúl na Gaeilge

Ón tús chuir an Conradh béim ar leith ar leasaithe a lorg sa chóras oideachais, toisc go raibh scoileanna páirteach i "Sacsanú" na tíre agus nach raibh ionad ceart ag stair agus ag teanga na tíre i scoileanna na hÉireann. Chun tacaíocht an phobail a lorg agus a mhéadaú bhíodh ócáidí poiblí dá n-eagrú ag an gConradh nuair a dheineadh ceannairí na gluaiseachta óráidí spreagúla. Ceann de na hócáidí sin ab ea Mórshiúl na Teanga i mBaile Átha Cliath ag a mbíodh na mílte cruinnithe ar shráideanna na cathrach—bratacha agus manaí acu á n-iompar ag lorg a hionad ceart don Ghaeilge i scoileanna na tíre. Sa phictiúr seo, feictear an Craoibhín ag labhairt leis an slua i lár na cathrach, Domhnach na Gaeilge sa bhliain 1903.

Coláiste Laighean

Sa tréimhse tosaigh dá shaothar, bhí polasaí an Chonartha dírithe go mór ar na bunscoileanna agus na meánscoileanna; theastaigh ón gConradh go dtabharfaí a ionad ceart don Ghaeilge ar an gclár léinn. Ba bheag scoil sa tír in a raibh an teanga dá múineadh mar ghnáthábhar agus fiú sna Gaeltachtaí, mar a léirigh an Piarsach, ní raibh seasamh ar bith ag an nGaeilge ach mar mheán teagasic do mhúineadh an Bhéarla. Nuair a tháinig an Clár Dátheangach amach sa bhliain 1904 níorbh léir don Chonradh go mbéadh dóthain múinteoirí ar fáil a d'fhéadfadh an Clár a mhúineadh de cheal a ndóthain Gaeilge. Is beag a bhí á dhéanamh ag na Coláistí Oiliúna i leith múineadh na Gaeilge. Chinn an Conradh ar Choláistí Oiliúna dá gcuid féin a bhunú, ceann acu i ngach cúige, a chuirfeadh oiliúint ar mhúinteoirí sa Ghaeilge agus i modhanna múinte teanga. Ceann de na coláistí sin ab ea Coláiste Laighean, ar Cearnóg Pharnell a bunaíodh sa bhliain 1906; bhí an Piarsach ar Bhord Stiúrtha an choláiste i dteannta an Ardeaspaig Breathnach agus bhíodh sé freisin ag léachtóireacht ann. B'é an chéad cheann de choláistí seo an Chonartha ná Coláiste na Mumhan a bunaíodh i mBéal Átha an Ghaorthaidh sa bhliain 1904; bhí Coláiste Chonnacht i dTuar Mhic Éide agus bhí Coláiste Uladh i gCloch an Fhaoilligh. Bhí coláiste eile, Ardscoil Uladh i mBéal Feirste agus coláiste in Óméith faoi cheannas Eoin Mhic Néill.

Peadar Mac Fhionnlaigh (Cú Uladh)

Rugadh Peadar Mac Fhionnlaigh i nDún na nGall sa bhliain 1857 agus bhí sé ar dhuine de na daoine is mó a shaothraigh chun an Conradh a bhuanú mar eagras éifeachtach. Oifigeach Custaim agus Máil ab ea é agus bhí cónaí air i Londain, i mBéal Feirste, i mBaile Átha Cliath agus i gCúl an tSúdaire i ndiaidh a chéile.

Bhí spéis ar leith aige i modhanna múinte teanga agus thuig sé a thábhachtaí a bhí sé go mbeadh modhanna nua-aimseartha dá n-úsáid sa Chonradh. Thug sé tacaíocht don bPiarsach i mbunú Scoil Éanna agus chuir sé an deichniúr mac aige chun na scoile; ó bunaíodh an scoil i 1908 go dtí gur dúnadh í i 1935, ní raibh rolla de chuid na scoile nach raibh an sloinne Mac Fhionnlaigh ann.

Enrí Ó Muirgheasa

Fear a dhein cion fir ar son an Chonartha agus ar son saoithiúlachta na hÉireann ab ea Enrí Ó Muirgheasa. Múinteoir scoile ab ea é in aice le Carraig Mhachaire Rois.

Ceapadh é ina chigire scoile agus bhí baint aige leis na leasaithe oideachais a tháinig i réim sna ficheadaí. Gach áit dá ndeachaigh sé ar fud na tíre chuir sé spéis sa tseandálaíocht agus sa stair áitiúil agus chaith sé dúthracht lena gcaomhnú.

Scríobh sé beart leabhar faoi shean-fhocail agus faoi fhilíocht Chúige Uladh agus d'fhoilsigh an Conradh cuid mhaith dá shaothar. Cara mór leis an bPiarsach ab ea é—bhíodar araon ar choistí an Chonartha; b'é comhlacht na bPiarsach a dhein an plaic cloiche, agus ainm na scoile as Gaeilge air, a thóg Enrí ar Scoil Náisiúnta Liosdúnáin sa bhliain 1899.

Mary Hayden
Bhí cairdeas dlúth idir an Piarsach agus Mary Hayden, Ollamh le Nua-Stair na hÉireann i gColáiste na hOllscoile, Áth Cliath. Bhí sí páirteach in obair an Chonartha agus bhí sí ina ball den Choiste Riartha. Bhí spéis ar leith aici i gceisteanna oideachais agus chuidigh sí leis an bPiarsach i mbunú Scoil Éanna; bhí sí ar chomhairle na scoile agus thugadh sí léachtaí do na dáltaí ar ábhair stairiúla. Bhí sí ar an dream beag daoine in Éirinn ag tús na haoise go raibh spéis acu i gcearta na mban agus sheas sí go poiblí leis an ngluaiseacht sin.

An tAthair Anderson, O.S.A.
Sagart Agaistíneach ab ea an tAthair Anderson a bhí ina bhall de Choiste Riartha an Chonartha. Bhí sé ina bhainisteoir ar Scoil Náisiúnta Naomh Eoin i lár Bhaile Átha Cliath agus tharraing sé aird air féin, ar an scoil agus ar Mháire Ní Chillín a bhí i mbun múineadh na Gaeilge tríd an scoil ar fad. D'éirigh léi gan mhoill an teanga a thabhairt do pháistí lár na cathrach. Scríobh sí féin agus an Piarsach cuntas ar obair na scoile a d'fhoilsigh an Conradh sa bhliain 1902. Phós Máire Ní Chillín, conraitheoir eile, Pádraig Ó Brolcháin, fear a bhí go mór chun tosaigh mar fheidhmeannach sa Roinn Oideachais ón mbliain 1922 ar agaidh.

Tadhg Ó Donnchadha ("Torna")

"Torna" an t-ainm cleite a bhíodh ar Thadhg Ó Donnchadha, file, scríbhneoir agus ball sinsearach den Chonradh. Rugadh é i gCarraig na bhFear, i gCo. Chorcaí, agus oileadh é mar mhúinteoir náisiúnta i mBaile Átha Cliath, mar a chaith sé seal ag múineadh. Bhí sé ina eagarthóir ar *Irisleabhar na Gaeilge* agus ina Ollamh le Gaeilge i gColáiste Oiliúna Dhroim Conrach agus níos déanaí i gColáiste na hOllscoile, Corcaigh.

An tAthair Mícheál Ó hIceadha

Rugadh Mícheál Ó hIceadha i gCarraig na Siúire agus tar éis gur deineadh sagart de in 1884, caith sé blianta in Albain sular ceapadh é ina ollamh le Gaeilge i gColáiste Mhá Nuat mar chomharba ar an Athair Ó Gramhnaigh sa bhliain 1896. Toghadh é mar bhall de Choiste Riartha an Chonartha agus freisin mar Leas-Uachtarán ar an eagras.

Bhí spéis ar leith aige i gcúrsaí oideachais agus scríobh sé go forleathan ag éileamh go ndéanfaí leasaithe ar chlár léinn na scoileanna, idir bhunscoileanna agus mheánscoileanna. Gabh sé páirt nach beag sa bhfeachtas a d'eagraigh an Conradh maidir le Gaeilge a bheith éigeantach san Ollscoil Náisiúnta sa bhliain 1909. Dhein an Dochtúir Ó hIceadha cáineadh ar na hEaspaig a bhí i gcoinne sheasaimh an Chonartha agus dá bharr sin briseadh as a phost é mar Ollamh le Gaeilge i Má Nuat. Lean sé leis le tacaíocht an Chonartha ag lorg a chearta sa Róimh agus in Éirinn go bhfuair sé bás gan sásamh sa bhliain 1916.

An tAthair Peadar Ó Laoghaire

Rugadh é in aice Mhaigh Chromtha agus cé gurb í an Ghaeilge teanga an teaghlaigh, bhí Béarla agus Gaeilge aige ón gcliabhán. Le bunú an Chonartha luigh sé isteach ar scríobh na Gaeilge agus an stíl scríbhneoireachta aige bunaithe ar chaint na ndaoine; scríobh sé idir scéalta ón tseanlitríocht agus scéalta nuachumtha aige féin. Ba cheannródaí é maidir le nualitríocht na Gaeilge; bhí an-cháil ar an scéal *Séadna* a scríobh sé agus ar *Mo Scéal Féin*, féinbheathaisnéis. D'éag sé agus é ina shagart paróiste i gCaisleán Ó Liatháin sa bhliain 1920. Tógadh an pictiúr seo de, agus é in éineach le Seán Ó Cuív, sna Clocha Léithe, Co. Chill Manntáin bliain sula bhfuair sé bás.

An tArdeaspag Breathnach

Bhí sé ina mhac léinn ag Newman agus eisean i mbun na hOllscoile i mBaile Átha Cliath; níos déanaí bhí sé ina ollamh agus ina Uachtarán ar Choláiste Phádraig, Má Nuat. Bhí spéis ar leith aige i gcúrsaí oideachais agus thug tacaíocht do bhunú agus leathnú na meánscoileanna. Ceapadh é mar Ardeaspag ar Bhaile Átha Cliath sa bhliain 1885 agus mar Sheansailéar ar an Ollscoil Náisiúnta ar a bhunú i 1908. Taca láidir don Chonradh ab ea é agus cara leis an bPiarsach freisin.

An Dr. Michael Cox

Dochtúir leighis i mBaile Átha Cliath a raibh spéis ar leith aige i gcúrsaí an Chonartha ab ea Michael Cox. Nuair a bunaíodh Ollscoil na hÉireann sa bhliain 1908, toghadh é mar Chathaoirleach ar Comhghairm na hOllscoile.

Bhí spéis ar leith aige i nithe a bhain le gnéithe de shaol sóisialta na Gaeltachta. Sa bhliain 1907, d'eagraigh an Piarsach, Coiste na hEitinne, le fóirthint ar an nGaeltacht; b'é an Dr. Michael Cox a bhí ina Uachtarán ar an gCoiste. Dhein an coiste seo sárobair faoi stiúir an Dr. Seán Ó Beirn, le heolas agus oideachas sláinte i leith na heitinne a chur ar fáil do mhuintir na Gaeltachta.

An Claidheamh Soluis

Bunaíodh *An Claidheamh Soluis* mar pháipéar dátheangach an Chonartha in 1899; nuair a ceapadh an Piarsach mar eagarthóir bhí sé tar éis plean forbartha don pháipéar a chur ar aghaidh. Bhí sé i gceist aige go ndéanfadh an páipéar freastal ar gach gné de shaol na hÉireann agus go gcuideodh sé le saoirse intleachtúil na tíre a bhaint amach. Bhí nuacht idirnáisiúnta á foilsiú aige agus saothar litríochta ó scríbhneoirí éagsúla. Is minicí cúrsaí oideachais agus cúrsaí cultúir á bplé aige sna heagarfhocail ná aon ábhar eile.

Máire Bean Arthur Hutton
Duine de na cairde ba dhílse a bhí ag an bPiarsach a b'ea Máire Hutton. Fear gnó i mBéal Feirste a b'ea a fear chéile agus bhíodh sise gníomhach sa Chonradh mar a mbíodh sí ag múineadh san ArdScoil. Nuair a théadh sé ar chuairt go Béal Feirste ba le muintir Hutton a d'fhanadh an Piarsach. Bhí cáil ar Mháire Hutton mar scoláire agus nuair a foilsíodh *The Tain* leí sa bhliain 1907, tugadh an-mholadh don saothar ag scoláirí na Gaeilge. Nuair a fuair a fear chéile bás tháinig sise chun chónaithe i mBaile Átha Cliath sa bhliain 1912. Thug sí tacaíocht airgid do Scoil Éanna agus bhíodh sí ar chuairt ar an scoil mar léachtaí sa léinn Cheilteach.

An tOideachasóir

The "National" Board.

An tOideachaṣóir

Chuir an Piarsach spéis i gcúrsaí oideachais beagnach ón uair ar fhág sé féin an scoil agus gur mór aige ceisteanna a bhain le leas na hÉireann. Tuigeadh dó go raibh an córas oideachais lochtach mar chóras oideachais ach thairis sin go raibh sé le cáineadh agus le díchur toisc go raibh sé neamhÉireannach. Cháin sé go láidir na scoileanna náisiúnta inar séanadh gach aon rian de shaíocht agus de chultúr na tíre ar mhaithe le saíocht agus cultúr Impireacht na Breataine a chothú. Thuig an Piarsach gurb é an t-oideachas an cheist saolta ba thábhachtaí a d'fhéadfadh pobal tíre bheith ag plé leis agus, i gcás na hÉireann de, nach mbeadh an deis sin ann go dtí go mbeadh saoirse bainte amach aici.

41

Scoil Éanna

D'oscail an Piarsach Scoil Éanna i dTeach Feá Chuilinn ar 8 Meán Fomhair, 1908. Teach mór a bhí ann agus gairdíní agus páirceanna ina thimpeall, ar Bhóthar Oakley, Raghnallach. Daichead dalta a bhí ann an chéad lá agus faoi dheireadh na chéad bhliana bhí suas lena dhá oiread sin de bhuachaillí sa scoil. Tháinig na daltaí as gach aird in Éirinn agus cuid acu as tíortha thar lear; bhí triúr ann as Ros Muc, beirt as Sasana, duine as Meiriceá Theas. Ar lá oscailte na scoile bhí cara mór leis an bPiarsach i láthair, an Monsignor Alfons Tas ón mBruiséal—fear go raibh spéis ar leith aige i gcúrsaí oideachais agus go raibh scoil faoina chúram sa Bheilg.

Bhí scoil do chailíní óga ar an láthair freisin á reachtáil ag Maighréad, deirfiúr an Phiarsaigh; san iomlán, bhí breis is nócha dalta sa dá scoil. B'iad an Piarsach, Tomás Mac Donnchadha agus Tomás Mac Domhnaill na múinteoirí lánaimsire. Bhí idir scoláirí aíochtaigh agus scoláirí lae sa scoil. B'é seo an teach inar rugadh W. J. Lecky, an stairí cáiliúil.

Máthair agus Deirfiúr an Phiarsaigh

Máthair an Phiarsaigh agus Maighréad a dheirfiúr ag príomhdhoras na scoile thart ar 1909. Bhíodh páirt acu beirt in obair na scoile, ag réiteach gnóthaí an tí agus ag tabhairt aire do na scoláirí aíochtaigh. Is cuimhin le hiarscoláirí na scoile an cineáltas a roinneadh máthair an Phiarsaigh leo, go háirithe leis na buachaillí óga ar theacht chun na scoile dóibh. Bhí an Fhraincis ar a toil ag Maighréad agus thógadh sí dáltaí na scoile ar saoire chun na Fraince agus chun na Beilge.

Chuaigh Liam Mac Piarais thar lear ag foghlaim na healaíona agus nuair a tháinig sé ar ais bhíodh sé ag múineadh i Scoil Éanna. Bhíodh Máire Bríd, an deirfiúr ab óige leis an bPiarsach, ag múineadh ceoil.

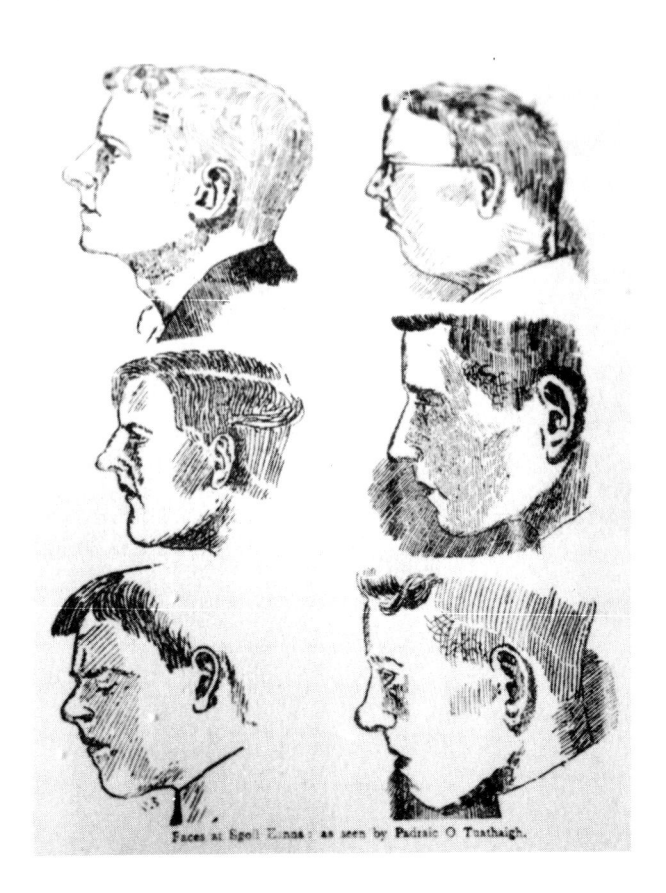

Faces at Sgoil Éanna : as seen by Pádraic O Tuathaigh.

Aghaidheanna le P. Tuohy
Ar na scoláirí tosaigh, bhí Pádraig Tuohy, a raibh scil ar leith chun léaráidí a dhéanamh agus a thuill ardchlú dó féin mar ealaíontóir in Éirinn agus thar lear. Bhíodh sé de shíor ag déanamh cartún dá chomhscoláirí agus de dhaoine móra sa saol poiblí. Sa phictiúr seo tá seisear de chéad scoláirí Scoil Éanna; ina measc tá Donnchadh Mac Fhinn, Éamonn Bulfin, Deasún Ó Riain, Eoghan Mac Cárthaigh agus Muiris Ó Fearachair.

Toghadh Pádraig Ó Tuathaigh in a bhall den R.H.A. agus chaith sé seal dá shaol san Eoraip agus i Nua Eabhrac mar a bhfuair sé bás. Is eisean a dhearadh cláracha do dhrámaí Scoil Éanna agus iris na scoile, *An Macaomh*.

Buíonán ag foghlaim gharraíodóireachta fá Mhicheál Mag Ruaidhrí: In the School Garden—A Gardening Class at Work.

Gairdíní Scoil Éanna agus Daltaí

Bhí an Piarsach go mór chun tosaigh ina thuairimí oideachais nuair a chuir sé béim ar ábhair phraiticiúla ar chlár na scoile. Bhíodh na gairdíní i Raghnallach agus i Rath Fearnáin faoi cheannas Mhichíl Mhic Ruaidhrí, fear as Co. Mhaigh Eo go raibh cáil air mar scéalaí agus a bhuaigh boinn óir ag an Oireachtas.

Seo é agus rang sa gharraíodóireacht á reachtáil aige thart ar 1909/1910. Is é Seán Ó Dúnlaing an buachaill sa dara háit ar chlé Mhic Ruaidhrí agus sluasad ina lámh aige.

Buidéan na Luanapéa: A Class at Drill in the Gymnasium.

Gleacaíocht
Cé nach raibh an scoil rómhór dhein an Piarsach iarracht na háiseanna scoile uilig a sholáthar. Chuir sé béim ar nithe cosúil le gleacaíocht a bhíodh á mhúineadh do na daltaí de réir na modhanna nua múinteoireachta a bhí i réim san Eoraip ag tús na haoise seo. Seo é Con Colbert ag stiúradh rang gleacaíochta. Bhíodh ranganna ar siúl i Scoil Éanna ag an Institiúid Sualannach gach deireadh seachtaine do dhaoine lasmuigh den scoil.

Pictiúr le Beatrice Elvery
Nuair a bhí an scoil á pleanáil aige luaigh an Piarsach go mbeadh timpeallacht na scoile maisithe le pictiúir fhiúntacha agus le ceardaíocht na hÉireann. Is amhlaidh a bhí freisin.

I measc na bpictiúr a bhí i dTeach Feá Chuilinn, bhí an ceann seo, "Íosa ina leanbh", a dhein Beatrice Elvery d'aon ghnó don scoil ar iarratas an Phiarsaigh. Ealaíontóir óg ab ea í; b'í a dhein léiriú ar an chéad eagrán de scéalta an Phiarsaigh, *Íosagán*, a foilsíodh i 1907. Phós sí an Tiarna Glenavy agus mac leo is ea an scríbhneoir Patrick Campbell.

The Man That Buried Raftery   J. B. Yeats
Bhí spéis i gcónaí ag an bPiarsach i gcúrsaí ealaíona—b'é a dheineadh léarmheas ar na taispeántais ealaíona don *Claidheamh Soluis*. Is léir go mbíodh sé ag ceannach pictiúr dó féin freisin. Ceann acu sin is ea an pictiúr seo le Jack B. Yeats— "The Man that Buried Raftery" (1900) a bhí ar crochadh sa scoil. Ní fios cá bhfuil an pictiúr anois—tógadh na pictiúir seo as an scoil go luath tar éis 1916.

Drámaí 1909

Mheas an Piarsach tábhacht ar leith a bheith ag baint leis an drámaíocht mar chuid den oideachas. Ón tús i Scoil Éanna bhíodh drámaí agus glóir-réimeanna á léiriú agus idir dhaltaí agus foireann páirteach iontu. Le haghaidh lá Éanna, 21 Márta 1909, léiríodh *"The Coming of Fionn"* le Standish O'Grady agus *An Naomh ar Iarraidh* leis an gCraoibhín. Seo é Éamonn Bulfin mar "Cairbre". Bhí suas le trí chéad duine i láthair chun na drámaí sin a fheiscint sa scoil, W. B. Yeats, Eoin Mac Néill agus Pádraig Colum ina measc.

Glóir-Réim Chúchulainn 1909

Chun deireadh na céad bliana i Scoil Éanna a cheiliúradh, scríobh an Piarsach glóir-réim bunaithe ar an Táin, *Mac-Ghníomhartha Chúchulainn*. Léiríodh an glóir-réim i Meitheamh 1909 amuigh faoin aer ar pháirc na himeartha agus breis agus cúig chéad duine mar lucht féachana. Fuair an léiriú ardmholadh ó na nuachtáin agus mheas an Piarsach gur chruthaigh Proinsias Ó Dúnlaing ar fheabhas i bpáirt Chúchulainn. Léirigh an scoil an glóirréim seo arís ag Feis Bhaile an Ghearlánaigh i gCo. Lú nuair a chuaigh an scoil ar thuras samhraidh ann.

Ráth Fearnáin 1910
Dhá bhliain tar éis bunú Scoil Éanna d'athraigh an Piarsach suíomh na scoile go Ráth Fearnáin, go dtí teach ársa ar ar tugadh *The Hermitage* agus na tailte agus na gairdíní a bhí ag gabháil leis. Thaitin an suíomh seo go mór leis an bPiarsach, é suite faoi scáth na sléibhte i measc na gcrann; mheas sé nach bhféadfaí suíomh níos oiriúnaí do scoil a fháil sa tír. Bhí caoga acra ar fad san eastát agus abhainn agus loch i measc na gcrann.

An Bheirt Phiarsach
Pádraig agus Liam sna gairdíní ag Rath Fearnáin sa bhliain 1910. Tá dealramh ar an scéal gur tógadh an pictiúr an lá a ndeachaigh siad chun an áit a fheiscint; tá doiciméid ina láimh ag Pádraig.

Timpeallacht na Scoile

Nuair a tháinig an scoil go Ráth Fearnáin, dhein an Piarsach sraith cártaí poist bunaithe ar radharcanna de thimpeallacht na scoile; d'úsáid sé iad chun fógraíocht a dhéanamh don scoil. Tagann an abhainn, ar a raibh an loch agus an linn snámha, anuas ó na sléibhte agus tríd na tailte ar a bhfuil golfchumann na Gráinsí anois.

Páirc na hImeartha
Bhíodh áiseanna le haghaidh cuid mhaith caithimh aimsire i Scoil Éanna. Seo radharc den pháirc ar thaobh na láimhe deise den teach inar thóg an Piarsach cúirt liathróid láimhe agus gléasradh gleacaíochta. Bhí luascán le haghaidh na ndaltaí óga crochta ar an gcrann. Bhí áiseanna le haghaidh dornálaíochta agus pionsóireachta ann freisin agus gailf á imirt sa pháirc mhór ar chlé ón teach. Bhí cosán rothaíochta ag timpeallú na dtailte tríd na coillte.

Cosán Emmet
Seo cuid den chosán a ritheann tríd na tailte ar a dtugtar go coitianta "Cosán Emmet" toisc go mbíodh sé go minic anseo ar cuairt ag muintir Hudson; bhíodh cónaí ar Sarah Curran trasna an bhóthair i "The Priory" agus bhí Emmet féin ina chónaí ar Bhóthar Ghort an Ime. Tá teach ar imeall na dtailte a dtugtar Dún Emmet air.

An Halla Mór
Bhí an Halla Mór suite ar chlé ón teach féin ach ceangailte leis. Is anseo a bhíodh na mic léinn ag gabháil don staidéar um thráthnóna. Bhíodh na ranganna i rith an lae á reachtáil sna seomraí ranga a thóg an Piarsach sa chearnóg taobh thiar den teach. Bhíodh seomraí codlata na ndaltaí thuas staighre sa teach féin.

An Chairt—An Modh Díreach
Bhí na modhanna múinte teanga i Scoil Éanna bunaithe ar an Modh Díreach. Sin le rá gurbh í an teanga féin, Gaeilge nó Fraincis nó Laidin a húsáití mar mheán teagaisc agus an teanga á foghlaim. An chairt seo—is ceann í de Shraith Chúchulainn a d'fhoilsigh Clólann Wm. Tempest, Dún Dealgan, leis an Modh Díreach a léiriú.

Iarsmalann na Scoile

I measc na n-áiseanna a bhí sa scoil bhí leabharlann do na daltaí ina raibh 2,000 leabhar agus bhí iarsmalann ina raibh iarsmaí tlachteolaíochta agus samplaí de phlandaí agus d'ainmhithe. Bhíodh cúram na Leabharlainne agus hIarsmalainne ar na buachaillí agus mholadh an Piarsach dóibh spéis a chur sa dúlradh agus go háirithe i flora agus fauna timpeallacht na scoile.

Seo taisceadán ina gcoinnítí cuid de na hiarsmaí; Bhí nithe ann freisin a tugadh abhaile ó thíortha eile—nithe a thug daoine ar nós Ruaidhrí Mhic Easmuinn agus an Athar Tomás Mhic Ghearailt O.F.M.Cap., ón Astráil mar bhrontanas don scoil.

An Claidheamh Soluis
Bhí an pictiúr seo le George Russell (Æ) i seilbh an Phiarsaigh agus bhíodh sé ar crochadh i Scoil Éanna. Seans gur cheannaigh sé é agus é ina eagarthóir ar pháipéar an Chonartha nó gur bhronn "Æ" ar an scoil é.

Foirne Scoil Éanna
Chuir an Piarsach béim ar leith ar an iomáint agus an pheil a chothú sa scoil, agus chuir sé lucht spóirt ar aon chéim le scoláirí acadúla ó thaobh clú a thuilleamh don scoil. B'é an Piarsach agus duine de na múinteoirí, an Dr. Pádraig Doody as Cill Chainnigh, a bhunaigh Comórtas na gColáistí i gCúige Laighean sa bhliain 1910.

Buaiteoirí Comórtas Scoileanna Átha Cliath 1910-1911
Sa bhliain 1910-1911 do bhuaigh iománaithe agus peileadóirí sóisearacha Scoil Éanna Craobh Átha Cliath sa pheil agus san iomáint. Seo í an fhoireann pheile le Feargus de Búrca mar Chaptaen.

An Fhoireann: P. Breathnach, R. Mac Amhlaoibh, B. Ó Tuathail, S. Mac Diarmada, S. Ó Dúnlaing, P. Ó Maolmhuaidh, C. Mac Fhionnlaoich, F. Ó Dochartaigh, S. Ó Dubhghaill, B. Seoighe, F. de Búrca, U. Ó Cúlacháin, B. Ó Cléirigh, C. Ó Cléirigh agus S. Ó Conchubhair.

Bhí Brian Seoighe agus Seán Ó Dúnlaing ar an bhfoireann iománaíochta freisin— gaiscígh dáiríre!

Dráma na Páise

Bhí clú chomh mór sin ar chumas drámaíochta na scoile, gur hiarradh ar an bPiarsach léirithe a chur ar siúl in Amharclann na Mainistreach. Le linn na Seachtaine Móire 1911 léirigh Scoil Éanna agus Scoil Íde eatarthu Dráma na Páise a scríobh an Piarsach. Seo cartaí poist a dhein an Piarsach, bunaithe ar radharcanna as an dráma. Máire Bulfin a bhí i bpáirt Mhuire agus Liam Mac Piarais a thóg páirt Phíoláit.

I Meiriceá 1914

Le hairgead a bhailiú don scoil, chuaigh an Piarsach go Meiriceá i 1914; d'fan sé ann ó Feabhra go deireadh Bealtaine. Fuair sé cabhair ó Joe McGarrity agus ó John Devoy agus thug sé léachtaí agus d'eagraigh coirmeacha ceoil ar an gcósta thoir. Ag aeríocht amháin i Nua Eabhrac thug lucht leanúna Sheáin Réamonn fogha faoi go fisiciúil.

Seo pictiúr a tógadh i Nua Eabhrac; tá an bunphictiúr lámhdhaite ag an grianghrafadóir Iodáileach.

Lá na nDuaiseanna

Mar chríoch leis an scolbhliain gach aon samhradh bhíodh aeríocht agus teacht le chéile do na daltaí agus a dtuismitheoirí. Bhíodh daoine mór le rá ar nós Dubhglas de hÍde nó Eoin Mac Néill i láthair le duaiseanna na bliana a bhronnadh agus ba mhinic dráma nó glóir-réim á léiriú. Tógadh an pictiúr seo samhradh na bliana 1915; i measc na ndaoine sa chomhluadar tá, Dubhglas de hÍde, Eoin Mac Néill, Peadar Mac Fhionnlaoigh ("Cú Uladh"), W. P. Ryan, Máire Hutton, agus an Canónach Ó Riain. Tá baill de Chumann na bPíobairí le feiceáil ar chlé agus Éamonn Ceannt ina measc.

Pádraig agus Liam Mac Piarais
De réir mar a chuaigh Pádraig níos mó le cúrsaí polaitíochta is ea is mó a cuireadh riaradh na scoile faoi chúram Liaim. Tógadh an pictiúr seo i samhradh na bliana 1915 ag Rath Fearnáin. Tá Deasún Ó Riain ar chúl agus hata air.

Rosmuc

Bhí an-tóir ag an bPiarsach ar Iarthar na hÉireann. Chaitheadh sé tréimhsí saoire i gCois Fharraige nó i Rosmuc, áit a bhfuil cuid dá scéalta suite. Sa bhliain 1909 thóg sé teach i Rosmuc in aice Loch Eileabhreach. Ní dó féin a thóg sé é ach mar ionad saoire le haghaidh daltaí Scoil Éanna. Ón mbliain 1909 amach bhíodh buachaillí na scoile ar saoire sa teach agus tuilleadh acu ag cur fúthu i bpubaill chois locha.

Scrios na Dúchrónaigh an teach ach d'athchóirigh coiste beag de mhuintir na Gaillimhe é. Tá sé anois faoi chúram Oifig na nOibreacha Poiblí.

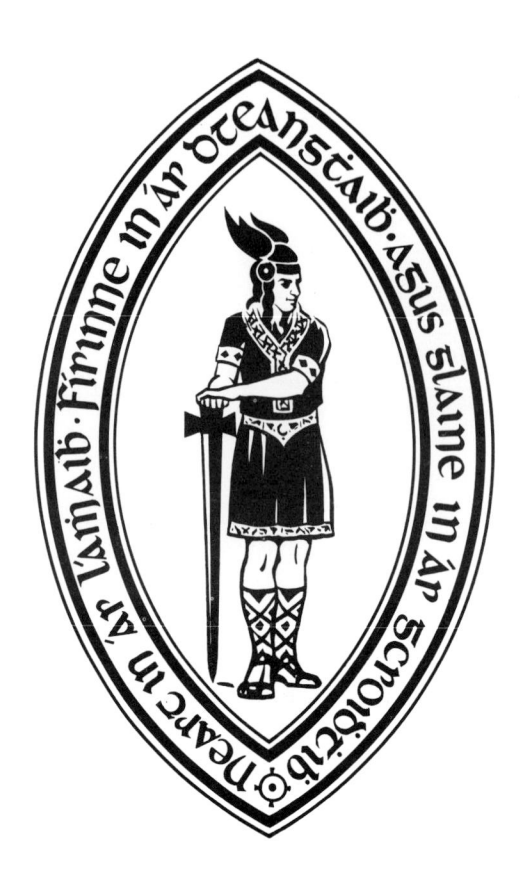

Suaitheantas Scoil Éanna

B'é seo an suaitheantas a dhearaigh an Piarsach do Scoil Éanna; ina lár tá laoch de chuid na Féinne agus timpeall air tá manadh bunaithe ar mhanadh na Féinne: Glaine inár gcroí agus neart inár ngéag agus beart de réir ár mbriathar.

An Fear Polaitíochta

Uaigh Tone ag Baile Bhóidín 1913
Ón uair ar bunaíodh Óglaigh na hÉireann sa Rotunda i Samhain 1913, tháinig méadú ar ghníomhaíocht an Phiarsaigh i gcúrsaí polaitíochta. Bhí coimhlint ón tús i gCoiste na nÓglach idir lucht leanúna an Réamonaigh, ar theastaigh uathu go mbeadh na hÓglaigh mar chrann taca ag Sasana agus iad sin, an Piarsach ina measc, gurbh é leas na hÉireann amháin a bhí mar aidhm acu. Bhí an-éileamh ar an bPiarsach mar chainteoir ar fud na tíre agus thug sé léachtaí poiblí ar Tone agus ar Emmet do bhuíonta Óglach in áiteanna éagsúla.

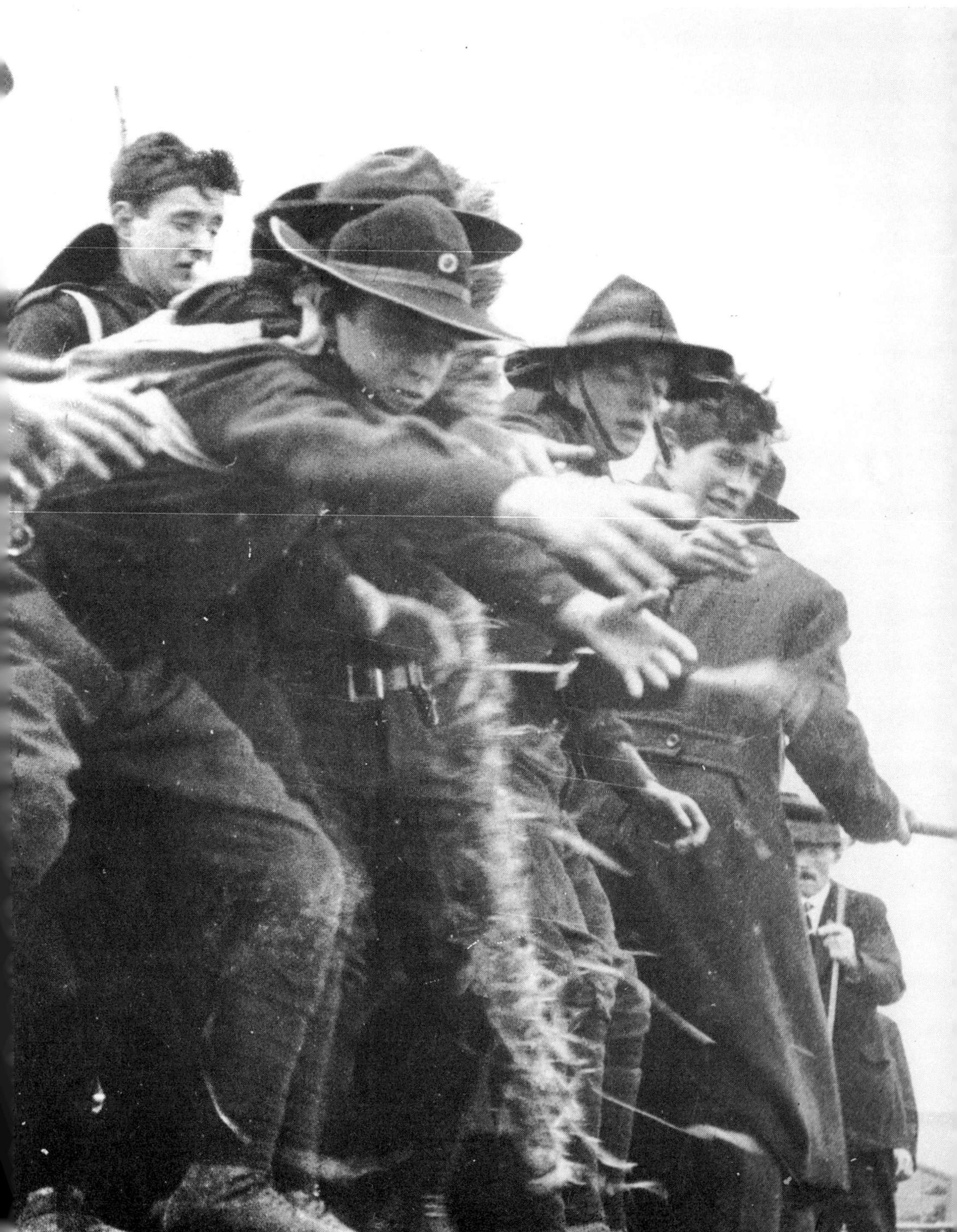

Beann Éadair 1914
Faoi lár na bliana 1914, ba chosúil go mbeadh sé ina chogadh go luath agus ó bhí gunnaí agus armlón tugtha i dtír ag Óglaigh Uladh gan bhac ó na húdaráis do chinn Óglaigh na hÉireann ar ghunnaí a lorg thar lear. Le cabhair ó Ruaidhrí Mac Easmuin agus bean Erskine Childers, bailíodh an t-airgead le go gceannódh Darrel Figgis airm i Hamburg. Tugadh go hÉirinn san Asgard, bád mhuintir Childers iad agus cuireadh i dtír iad ag Beann Éadair ar an Domhnach 26 Iúil. Bhí an Piarsach i Rosmuc nuair a tugadh na gunnaí i dtír ach bhí eolas aige ina dtaobh.

Sna Stáit Aontaithe 1914

D'fhonn airgead a bhailiú don scoil, do thug an Piarsach cuairt ráithe ar na Stáit Aontaithe in Earrach 1914 mar ar tógadh an grianghraf seo. Do chuir Tomás Ó Cléirigh in aithne do Ghaeil Mheiriceá é. Dhein Devoy agus Joe McGarrity go háirithe gach dícheall le go mbeadh toradh ar a shaothar. Fad a bhí sé ann, do thug sé léachtaí do chumainn Éireannacha, d'eagraigh sé feiseanna agus aeríochtaí agus bhailigh sé cuid mhaith airgid don scoil sa tslí sin.

Ní cúrsaí scoile amháin a bhí á bplé aige thall; deineadh mionphlé ar chúrsaí polaitíochta agus chuaigh an Piarsach i bhfeidhm go mór ar lucht ceannais Chlann na nGael, go háirithe ar McGarrity. Ar theacht abhaile dó bhí an Piarsach go láidir den tuairim narbh fhada go mbeadh éirí amach ann.

Glasnaíon 1915

Nuair a tugadh corp Uí Dhonnabháin Rosa abhaile ó na Stáit Aontaithe, d'eagraigh na hÓglaigh sochraid mhór ina onóir. Bhí i gceist acu freisin go mbeadh sochraid dá leithéid seo ina léirsiú ar son na saoirse agus ina hagóid in aghaidh fheachtas earcaíochta arm Shasana in Éirinn. Thug an Piarsach óráid os cionn na huaighe, óráid a thuill clú dó mar fhear polaitíochta agus mar urlabhraí ar son na nÓglach. Is iad na focail a dúirt sé ag tús na cainte,—"ní dhéanfaidh Gaeil dearmad ort go bráth na breithe"—atá greanta ar leacht cuimhneacháin Rosa i bhFaiche Stiabhna i mBaile Átha Cliath.

An Carnán, Lúnasa 1915
Seo pictiúr a tógadh sa Charnán, i mBaile Átha Cliath i Lúnasa 1915. Cruinniú d'óglaigh dheisceart na cathrach atá ann i mbréagriocht aeríocht nó feise samhraidh. Bhí cónaí ar Éamonn Ceannt sa dúthaigh sin agus is dócha gubh eisean a d'eagraigh an teacht le chéile. Mar is léir ón bpictiúr seo, bhíodh gá le fir fhaire agus cruinnithe den tsórt seo á reachtáil.

An Chomhairle Mhíleata 1915
Faoi fhómhar na bliana 1915 bhí an Piarsach ina bhall d'Ardchomhairle Bhráithreachas Phoblacht na hÉireann; bhí sé ina bhall freisin den Chomhairle Mhíleata ar a raibh Tomás Ó Cléirigh, Seán Mac Diarmada, Seán Ó Conghaile Seosamh Pluincéad agus Éamonn Ceannt. Bhí an Piarsach freisin ina Stiúrthóir Eagraíochta sna hÓglaigh agus dá réir sin bhí sé i dteagmháil le baill an eagrais ar fud na tíre. Faoi Nollaig 1915 bhí cinneadh déanta go dtarlódh an tÉirí Amach faoi Cháisc 1916. I lár mí Eanáir do gheall Séamas Ó Conghaile go mbeadh an tArm Cathartha páirteach ann. Idir an Nollaig agus tús Márta scríobh an Piarsach na paimfléid pholaitíochta *Ghosts, The Separatist Idea, The Spiritual Nation*, agus *The Sovereign People;* bhí sé i gceist aige go bhfoilseofaí iad mar ullmhú don Éirí Amach.

Ardoifig an Phoist 1916
Bhí sé i gceist go dtosnódh an tÉirí Amach ag 4 p.m. Domhnach Cásca; is nuair a cuireadh fógraí thart ar na hóglaigh i dtaobh na socraithe seo a tuigeadh d'Eoin Mac Néill agus do Bulmer Hobson céard a bhí ar bun. Dheineadar gach iarracht an tÉirí Amach a stopadh agus de bharr an aighnis seo i measc cinnirí Bhaile Átha Cliath is beag áit seachas an phríomhchathair a bhí páirteach. Cuireadh Rialtas Sealadach ar bun ag tús na Seachtaine Móire agus do dhréachtaigh an Piarsach, Ó Conghaile agus Tomás Mac Donnchadha Forfhógra na Poblachta; i rith na seachtaine do shínigh na taoisigh an forfhógra. Ar Luan Cásca, 24 Aibreán, do ghabh na hóglaigh seilbh ar áiteanna éagsúla ar fud na cathrach agus léigh an Piarsach an Forfhógra lasmuigh d'Oifig an Phoist. Feictear brat na Poblachta nua ar foluain os cionn A.O.P. sa phictiur seo.

POBLACHT NA H EIREANN.

THE PROVISIONAL GOVERNMENT
OF THE
IRISH REPUBLIC
TO THE PEOPLE OF IRELAND.

IRISHMEN AND IRISHWOMEN: In the name of God and of the dead generations from which she receives her old tradition of nationhood, Ireland, through us, summons her children to her flag and strikes for her freedom.

Having organised and trained her manhood through her secret revolutionary organisation, the Irish Republican Brotherhood, and through her open military organisations, the Irish Volunteers and the Irish Citizen Army, having patiently perfected her discipline, having resolutely waited for the right moment to reveal itself, she now seizes that moment, and, supported by her exiled children in America and by gallant allies in Europe, but relying in the first on her own strength, she strikes in full confidence of victory.

We declare the right of the people of Ireland to the ownership of Ireland, and to the unfettered control of Irish destinies, to be sovereign and indefeasible. The long usurpation of that right by a foreign people and government has not extinguished the right, nor can it ever be extinguished except by the destruction of the Irish people. In every generation the Irish people have asserted their right to national freedom and sovereignty; six times during the past three hundred years they have asserted it in arms. Standing on that fundamental right and again asserting it in arms in the face of the world, we hereby proclaim the Irish Republic as a Sovereign Independent State, and we pledge our lives and the lives of our comrades-in-arms to the cause of its freedom, of its welfare, and of its exaltation among the nations.

The Irish Republic is entitled to, and hereby claims, the allegiance of every Irishman and Irishwoman. The Republic guarantees religious and civil liberty, equal rights and equal opportunities to all its citizens, and declares its resolve to pursue the happiness and prosperity of the whole nation and of all its parts, cherishing all the children of the nation equally, and oblivious of the differences carefully fostered by an alien government, which have divided a minority from the majority in the past.

Until our arms have brought the opportune moment for the establishment of a permanent National Government, representative of the whole people of Ireland and elected by the suffrages of all her men and women, the Provisional Government, hereby constituted, will administer the civil and military affairs of the Republic in trust for the people.

We place the cause of the Irish Republic under the protection of the Most High God, Whose blessing we invoke upon our arms, and we pray that no one who serves that cause will dishonour it by cowardice, inhumanity, or rapine. In this supreme hour the Irish nation must, by its valour and discipline and by the readiness of its children to sacrifice themselves for the common good, prove itself worthy of the august destiny to which it is called.

Signed on Behalf of the Provisional Government,
THOMAS J. CLARKE.
SEAN Mac DIARMADA.　THOMAS MacDONAGH.
P. H. PEARSE.　EAMONN CEANNT.
JAMES CONNOLLY.　JOSEPH PLUNKETT.

Lár na Seachtaine: An Helga
Faoin gCéadaoin tháinig athrú obann ar an gcath nuair a tugadh bád cogaidh, Helga, aníos abhainn na Life agus ó láthair in aice le Teach an Chustaim d'imir an bád scrios ar Halla na Saoirse agus ar Ardoifig an Phoist. Neartaíodh greim Arm Shasana ar lár na cathrach nuair a cuireadh buíonta saighdiúirí i seilbh Choláiste na Tríonóide agus gur bunaíodh ceanncheathrú an airm ann.

Géilleadh
Ar an Satharn cuireadh banaltra de chuid Chumann na mBan, Éilis Ní Fhearghail chuig an nGinearál Lowe lena rá leis gur theastaigh ón bPiarsach labhairt leis. Dúirt Lowe go ndéanfadh sé amhlaidh ar bhonn géillte neamhchoinníollaigh agus ar an mbonn sin amháin. D'aontaigh na taoisigh leis na téarmaí sin agus ag 2.30 p.m. do chuaigh an Piarsach agus Éilis Ní Fhearghail faoi bhrat bán go dtí cúinne Shráid Pharnell áit ar thug sé a chlaíomh do Lowe mar chomhartha géillte.

An Clós, Cill Mhaighneáin
An doras i gCill Mhaighneáin idir an clós agus an príosún trínar shiúl go leor Éireannach chun a mbáis. Ar an 3 Bealtaine, tar éis a ndaortha ag cúirt mhíleata tugadh an Piarsach, Tomás Ó Cléirigh agus Tomás Mac Donnchadha amach go dtí an clós roimh breacadh lae. Lámhachadh iad thart ar 3 a.m.

Idir uair an mheánoíche agus uair a bháis scríobh an Piarsach litir chuig a mháthair, ceann eile chuig a dheartháir Liam agus cuntas ar a thriail. Is i gCill Mhaighneáin a scríobh sé "The Wayfarer".

Thug an tAthair Aloysius O.F.M.Cap. cuairt ar na fir agus chuir cóir spioradálta an bháis orthu ach níor ceadaíodh dó fanacht leo agus iad á lámhach. Cuireadh Liam Mac Piarais chun bás an lá dar gcionn.

Uaigh
Tógadh na coirp tar éis a lámhach agus cuireadh iad in uaigh aol beo i gCnoc an Arbhair an lá céanna. Chuala máthair an Phiarsaigh go raibh corp Shéamais Uí Chonghaile tugtha ar ais dá mhuintir agus d'iarr sí go ndéanfaí amhlaidh le corp an Phiarsaigh. Dhiúltaigh na húdaráis dá hiarratas.

 Léiríonn an grianghraf seo an leagan amach a bhí ar uaigheanna na dtaoiseach thart ar 1930. Tá maisiú déanta ar an bplásóg ó shin agus do chomóradh 1966 réitíodh na huaigheanna as an nua.

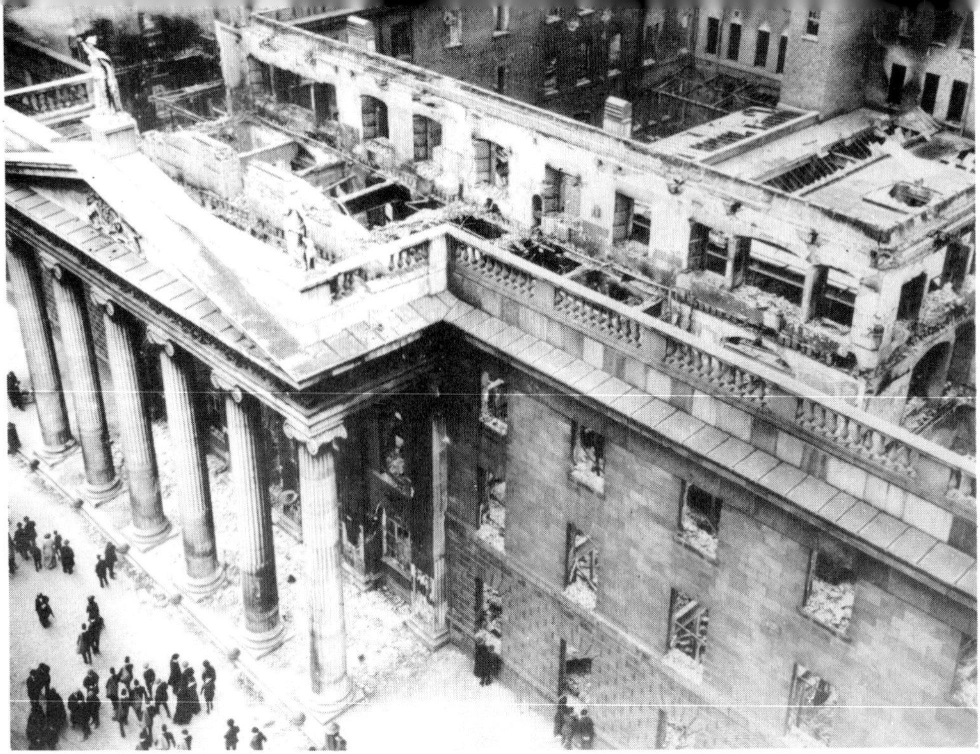

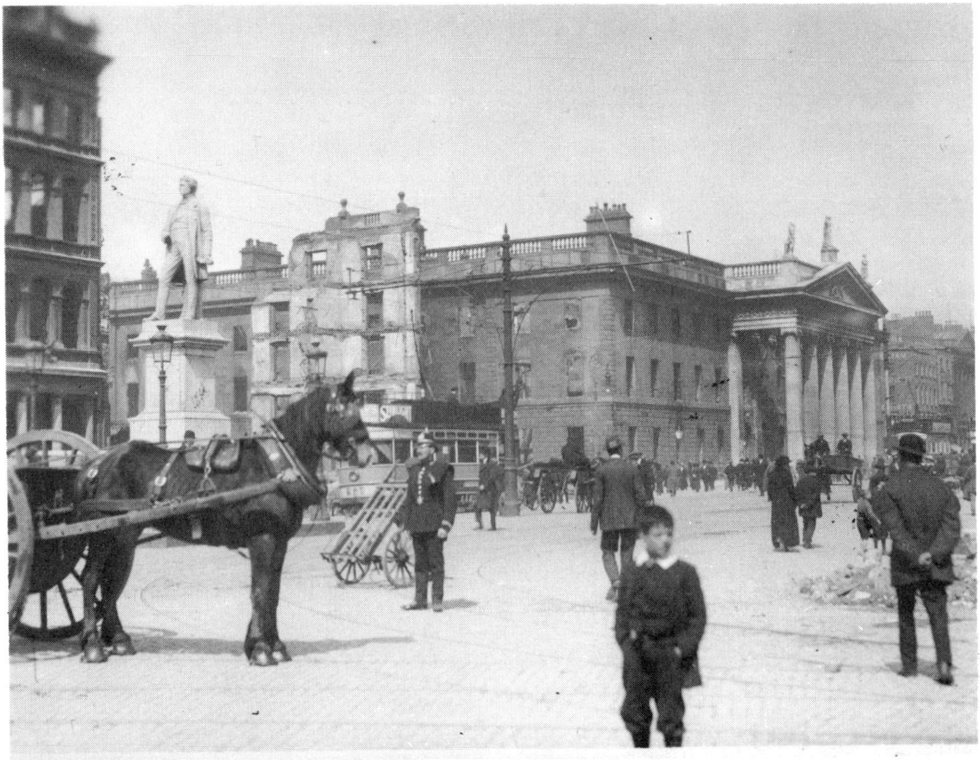

Baile Átha Cliath i nDiaidh an Éirí Amach
Deineadh scrios ar chuid mhaith de Shráid Sackville (Uí Chonaill) Íochtarach agus ar na sráideanna máguaird; is beag damáiste a deineadh in áiteanna eile ar fud na cathrach, cé go raibh daoine i mbun bradaíle i siopaí i lár na cathrach.

Tugadh mórchuid de na hóglaigh a gabhadh chuig Bearaic Risteamainn; ar a mbealach tríd an chathair mhaslaigh muintir na cathrach iad agus léiríodh nach ar son an Éirí Amach a bhí móramh na cathrach.

Léiríonn an léarscáil na foirgnimh a sriosadh de bharr an pleancadh a dhein gunnaí móra an Helga ar lár na cathrach.

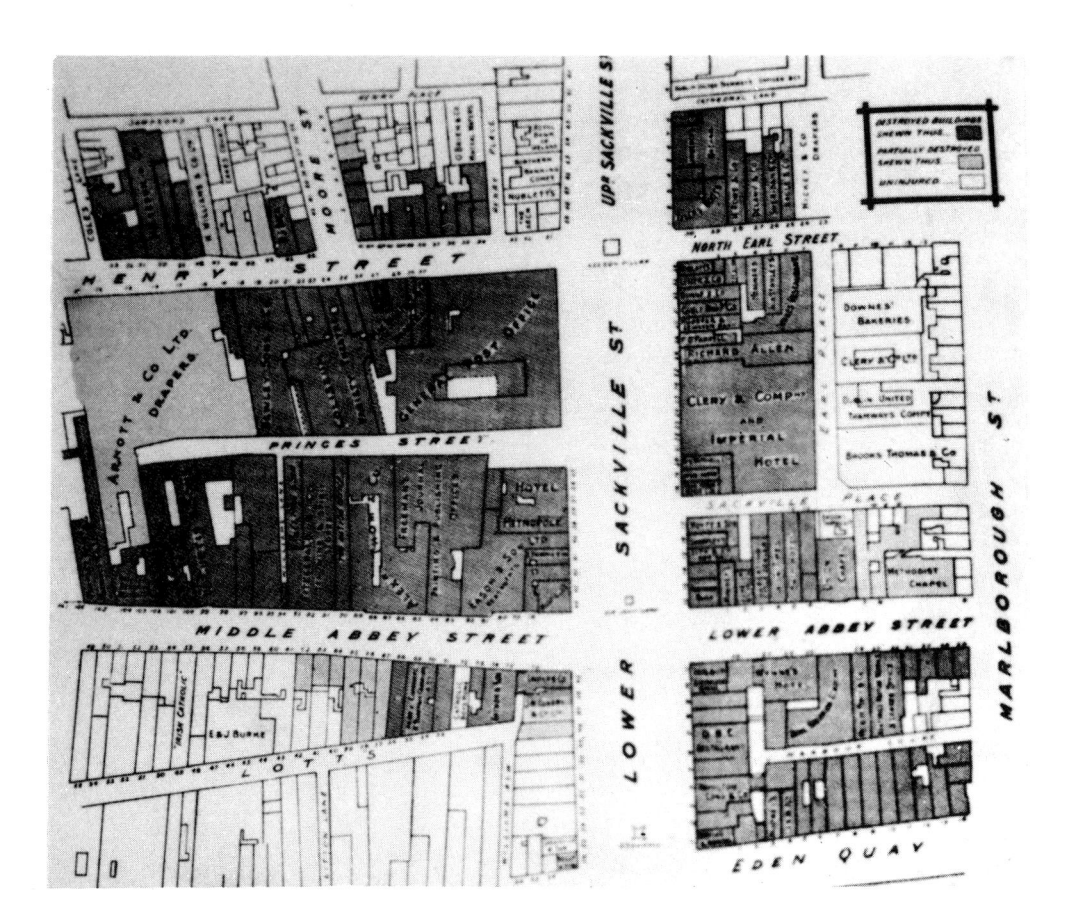

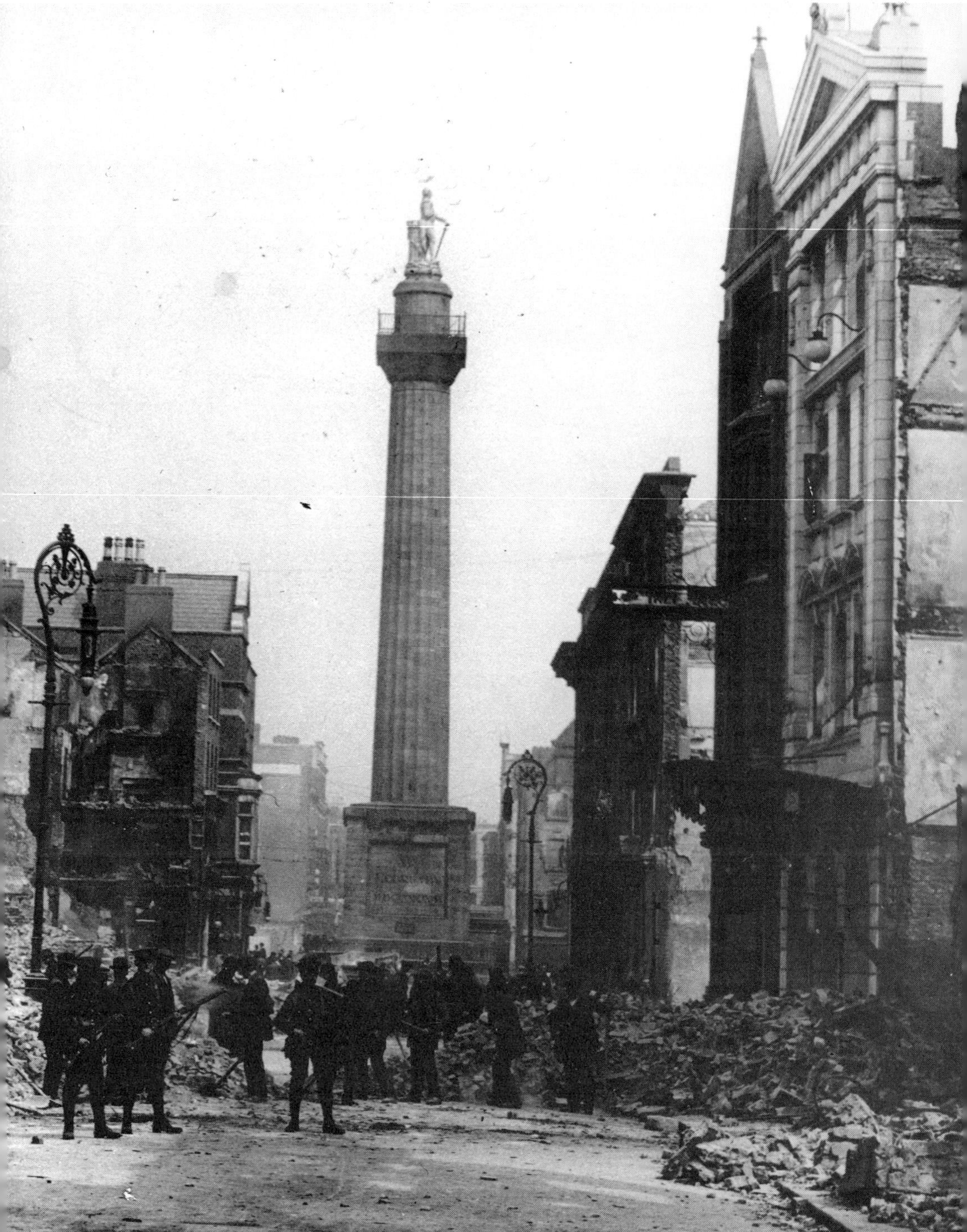

Iarfhocal

An Mháthair
Go luath tar éis an Éirí Amach do ghabh arm Shasana seilbh ar Scoil Éanna. B'éigin do mháthair an Phiarsaigh agus an teaghlach filleadh ar Theach Feá Chuilinn ar Bhóthar Oakley mar a mbíodh an scoil go dtí 1919. Nuair a d'imigh arm Shasana ón scoil faoi dheireadh do chuireadar seic suarach chuig máthair an Phiarsaigh; dhiúltaigh sí an seic a bhriseadh cé gur mhaith a d'oirfeadh di airgead a bheith aici an tráth sin.

Osclaíodh an scoil arís i 1918 agus an bhliain dar gcionn d'fhill muintir Mhic Phiarais ar Ráth Fearnáin. I 1920 do tháinig Clann na nGael i Meiriceá i gcabhair orthu i dtreo is gur cheannaigh máthair an Phiarsaigh an teach agus an talamh. Lean an scoil ar aghaidh agus b'é Feargus de Búrca agus Brian Seoighe a bhí i gceannas nuair a dúnadh í sa bhliain 1935. Bhí máthair an Phiarsaigh páirteach i gcúrsaí polaitíochta sa mhéid is gur thaobhaigh sí leis na Poblachtánaigh sa chogadh cathartha. Fuair sí bás sa bhliain 1932.

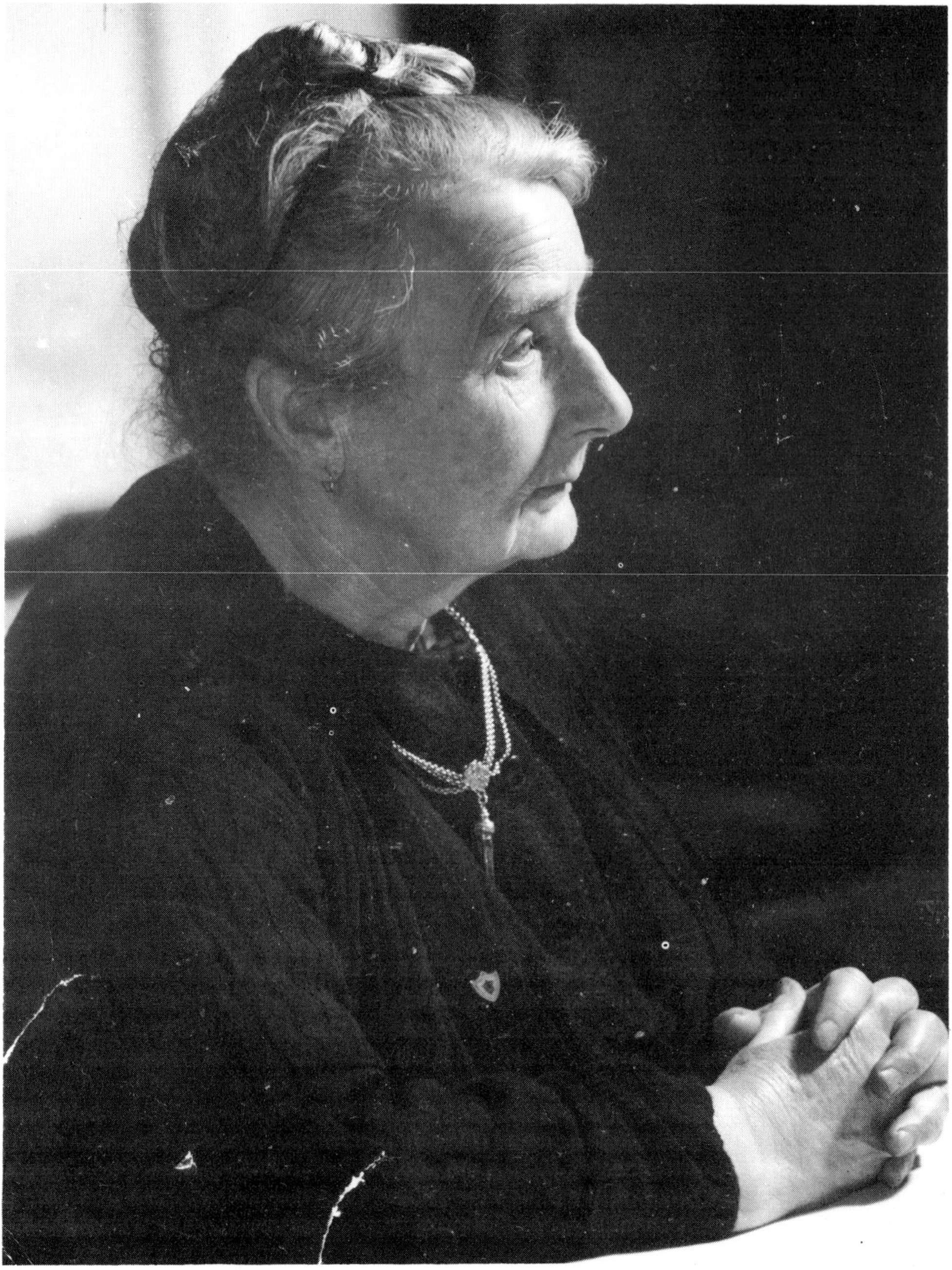

An Seanadóir Maighréad Nic Phiarais
Ar bhás a máthar sa bhliain 1932, tháinig an scoil i seilbh Maighréid agus a deirfiúra Máire Bríd. Nuair a fuair Máire Bríd bás 1947, ba le Maighréad an áit. Shocraigh sí go dtabharfaí an scoil agus an talamh don náisiún, mar ba mhian lena máthair. D'ainmnigh sí Éamonn de Barra agus Seán Ó Meachair mar iontaobhaithe. Fuair sí bás i 1968.

Máire Bríd
Cé nach raibh an tsláinte go maith riamh ag Máire Bríd, an driofúr a b'óige ag an bPiarsach, bhí éirim mhaith inti agus chuir sí spéis ar leith sa cheol agus san ealaín. Bhíodh ceol á mhúineadh aici i Scoil Éanna.

Bhí dúil riamh sa scríbhneoireacht aici agus sa bhliain 1926 scríobh sí sraith alt le haghaidh *Our Boys* bunaithe ar dhírbheathaisnéis an Phiarsaigh; foilsíodh mar leabhar é i 1934 faoin teideal *The Home Life of Patrick Pearse*.

Márta 1934 Plandáil Crann
Sna tríochadaí tháinig Cumann Lúthchleas Gael i gcabhair ar an scoil le scéimeanna scoláireachtaí agus scéimeanna eile. Márta 1934 tháinig an Taoiseach le crainn a phlandáil sa choill taobh thiar den scoil.

Tógadh an pictiúr seo ar an ócáid sin. Ó chlé: Peadar Mac Fhionnlaoigh agus beirt mhac leis, Tomás Ó Maoláin (Rúnaí Fhianna Fáil), an Taoiseach Éamon de Valera, Brian Seoighe (Leas-Phríomhoide), An tAire Seosamh Ó Chonghaile, an tAire Seán Mac an tSaoi, Feargus de Búrca (Príomhoide) agus Pádraig Ó Caoimh (Ard-Rúnaí C.L.G.).

Lá Bronnta Scoil Éanna ar an Náisiún
Ar 23 Aibreán, 1970 ghlac an náisiún seilbh ar Scoil Éanna. Ar an ócáid sin thug Éamonn de Barra eochair na scoile don Uachtarán, Éamon de Valera. Ó shin i leith tá an scoil agus an talamh faoi riar ag Oifig na nOibreacha Poiblí agus tá cóiriú agus maisiú á dhéanamh ar an teach. Tá an talamh leagtha amach mar pháirc phoiblí agus tá an teach á réiteach mar iarsmalann in onóir na bPiarsach.

Cuimhneachán

Atógadh Ard Oifig an Phoist agus cuid mhaith de Shráid Uí Chonaill i ndiaidh an Éirí Amach. Sa bhliain 1935 cuireadh dealbh de Chúchulainn le Oliver Shepherd i suíomh buan san oifig sin i gcuimhne ar laochra an Éirí Amach. Faoi stua na hOifige tá plaic anois san áit a mheastar ar léigh an Piarsach Forógra na Cásca. Éamon De Valera a nochtaigh an plaic sin um Cháisc 1961.

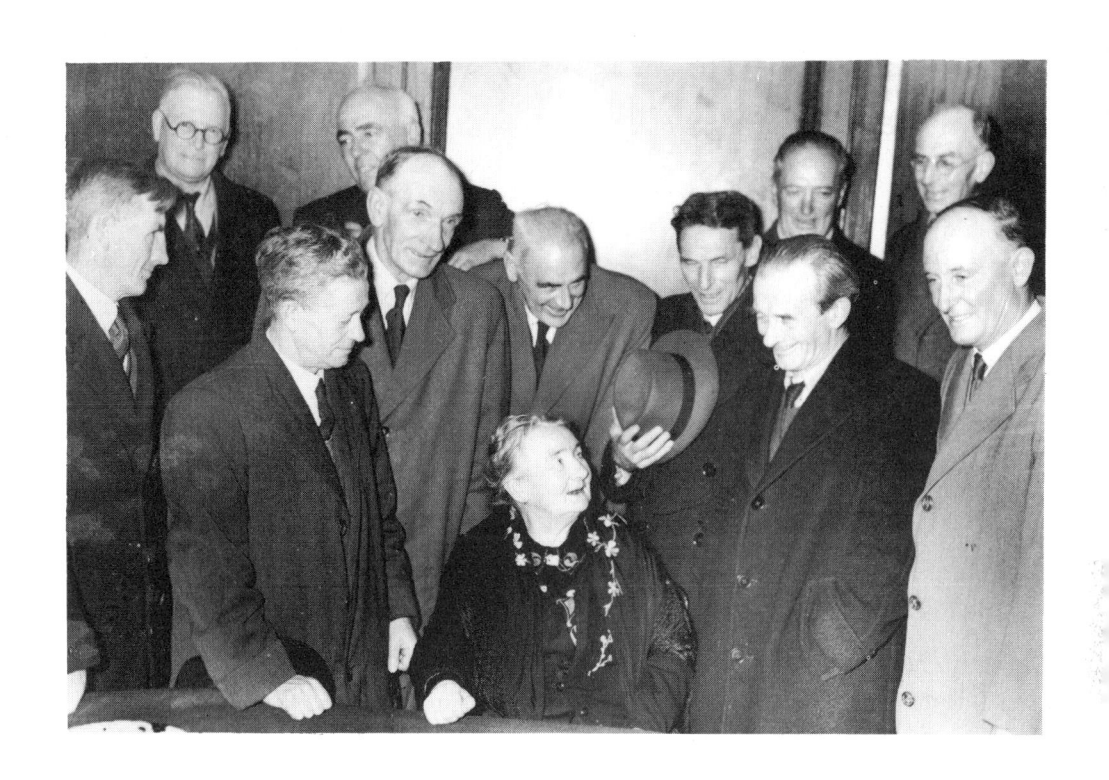

Clann Éanna
Ceann de na saintréithe ba láidre i measc iarscoláirí Scoil Éanna ná an dílseacht don scoil a cothaíodh iontu. Nuair a hosclaíodh an scoil athuair i Rath Fearnáin bhunaigh na hiarscoláirí *Cumann Éanna* chun fóirithint uirthi. Thagaidís le chéile go rialta agus sa phictiúr seo feictear i gcomhluadar Mhaighréid Nic Phiarais iad. Orthu siúd atá sa phictiúr tá Seán Ó Dúnlaing, Feargus de Búrca, Brian Seoighe, Deasún Ó Riain, Conchubhar Mac Fionnlaoich, Feardorcha Ó Dochartaigh agus Fiontán Ó Murchadha.

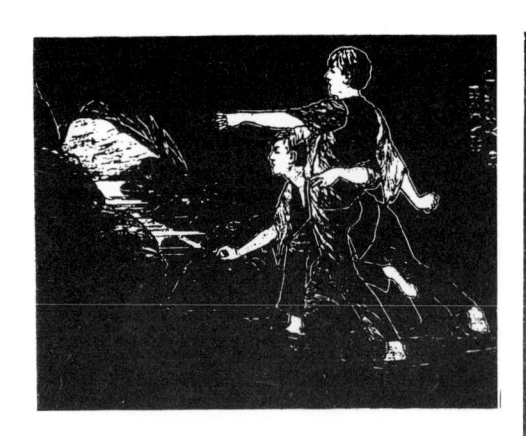

Scríbhinní an Phiarsaigh

D'fhág an Piarsach saothar fairsing scríbhneoireachta ina dhiaidh, idir scríbhinní cruthaitheacha agus iad san a bhain le cúrsaí oideachais agus le cúrsaí polaitíochta. Mar eagarthóir ar *An Claidheamh Soluis* 1903-1909, ba é a scríobhadh na heagarfhocail agus gach aon ábhar eile san iris nach raibh ainm leis. Foilsíodh dhá leabhar gearrscéalta dá chuid, *Íosagán* (1907) agus *An Mháthair* (1916), agus leabhar amháin filíochta, *Suantraidhe agus Goltraidhe* (1914). Roimhe sin, d'fhoilsigh Conradh na Gaeilge scéal eachtraíochta do bhuachaillí leis an bPiarsach, *Poll an Phíobaire* (1906).

Scríobh sé scéalta eachtraíochta do bhuachaillí i mBéarla agus i nGaeilge agus chum sé drámaí agus glóir-réim: idir Nollaig 1915 agus an Cháisc 1916, foilsíodh na scríbhinní polaitíochta *Ghosts, The Spiritual Nation, The Separatist Idea* agus *The Sovereign People*.

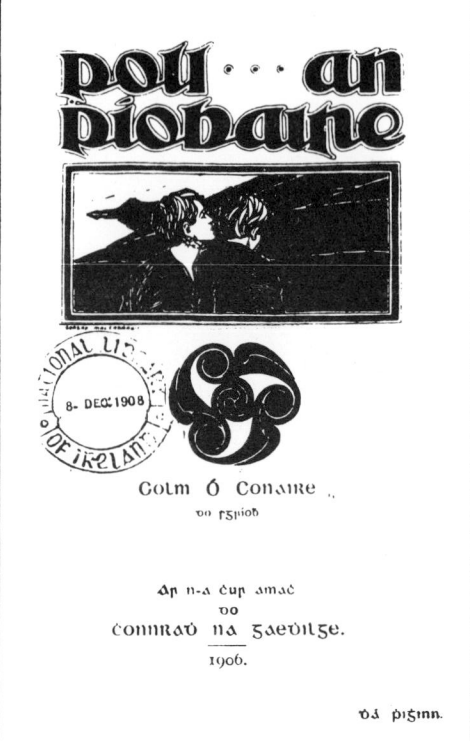

Pádraig Mac Piarais

1879   Rugadh é ag 27 Sráid Brunswick (Sráid an Phiarsaigh anois).
1887   Ar naíscoil i Sráid na bhFíníní.
1891   Ar scoil leis na Bráithre Críostaí, Sraith an Iarthair, mar ar ghnóthaigh sé scoláireachtaí agus an Scrúdú Sinsearach 1896.
1898   Foilsíodh *Three Lectures on Gaelic Topics* leis, chuir sé tús lena chúrsa ollscoile agus toghadh é mar bhall de Choiste Gnó an Chonartha.
1899   Bhí sé i láthair ag Mod na hAlban agus ag Eisteddfod na Breataine Bige mar ionadaí on gConradh. Ag múineadh Gaeilge sa Chonradh.
1900   Toghadh mar Rúnaí ar Choiste Foilseacháin an Chonartha.
1901   Ghnóthaigh na céimeanna B.A. agus B.L.
1902   Ina bhall de Choiste Oideachais an Chonartha.
1903   Ceapadh é ina eagarthóir ar *An Claidheamh Soluis*, mar ar lean sé go dtí 1909; bhí sé ag múineadh scoile i gColáiste Alexandra, Scoil na mBráithre, Sraith an Iarthair agus in a léachtóir sa Choláiste Ollscoile.
1905   Thug sé cuairt ar an mBeilg le staidéar a dhéanamh ar chúrsaí oideachais.
1908   Bhunaigh sé Scoil Éanna i dTeach Fheá Chuilinn, i Raghnallach.
1910   D'aistrigh sé an scoil go Ráth Fearnáin agus bhunaigh sé Scoil Íde do chailíní i Raghnallach.
1912   Chuir sé tús le hiris pholaitíochta *An Barr Buadh*, é féin mar eagarthóir.
1913   Páirteach i mbunú Óglaigh na hÉireann agus glacadh leis mar bhall de Bhráithreachas Poblachta na hÉireann.
1913   Leiríodh a dhráma *An Rí* in Amharclann na Mainistreach, áit ar léiríodh a dhráma Páise i 1911. Ghlac daltaí agus múinteóirí Scoil Éanna páirt sna drámaí seo.
1914   Thug cuairt trí mhí ar Mheiriceá san Earrach ag léachtóireacht agus ag bailiú airgid ar son na scoile.
1915   Ceapadh mar bhall é den Choiste Míleata agus mar bhall de Ardchomhairle an Bhráithreachais. Foilsíodh leis na paimfléidí polaitíochta, *Ghosts, The Separatist Idea, The Spiritual Nation* agus *The Sovereign People*.
1916   Ina cheannaire míleata ar an Éirí Amach agus ina Uachtarán ar Rialtas Sealadach na Poblachta.
1916   Cuireach chun báis é i gCill Mhaighneáin ar 3 Bhealtaine agus cuireadh a chorp in uaigh aolbheo ar Chnoc an Arbhair.

Admháil

Tá an t-údar buíoch díobh seo a leanas as ucht a gcabhrach: Maedhbh agus Lasairfhíona Ní Mhuirgheasa; Brian Seoighe, Feargus de Búrca agus Seán Ó Dúnlaing; An Br. S. P. Ó hAilín, Scoil Uí Chonaill; Síle Báiréad; Alf Mac Lochlainn, Stiúrthóir, An Leabharlann Náisiúnta; Pádraig Ó Snodaigh, An Iarsmalann Náisiúnta; Liam Ó Floinn, Eagarthóir Ealaíona *The Irish Press*; Diarmuid Breathnach agus Jim McAllister, Radio Telefís Éireann; Donncha Ó Súilleabháin, Aodhán Mac Fhionnlaoich agus Liam Ó Réagáin.

Tá an t-údar faoi chomaoin acu seo a leanas a thug cead léaráidí dá gcuid a úsáid:

Radio Telefís Éireann, Conradh na Gaeilge, Gael-Linn, *Scéala Éireann*, Leabharlann Náisiúnta na hÉireann, Malachy Hynes, Adolf Morath agus Pat Maxwell.

I gcás nó dhó níor éirigh leis teacht suas leis an té ar leis cóipcheart grianghrafa. Déanfar cúiteamh leosan ach scéal a fháil uathu.